IMADR ブックレット 20

# 現代的形態の奴隷制

## ―存続し変化する 21 世紀の人権問題―

編集・発行　反差別国際運動（IMADR）

JN061873

## はじめに

　世界には奴隷状態のもと働いている人が 4,000 万人いると言われている。強制労働、債務労働、人身取引、児童婚など、異なる形態をとる現代奴隷の慣行の被害者の多くは、女性、子ども、そして社会的に脆弱な立場にある人びとだ。人、モノ、資本の自由な移動のうえに成り立つグローバル経済は、これら労働者の犠牲なくしては成り立たない。現代奴隷の問題は世界そして日本に存在する。反差別国際運動（IMADR）はこの重大な人権問題をテーマに第 30 回ヒューマンライツセミナーを 2021 年 10 月 1 日に開催した。

　本書はセミナーにお招きした、現代的形態の奴隷制に関する国連特別報告者の小保方智也さん、外国人労働者の人権問題の専門家である自由人権協会の旗手明さん、そしてビジネスと人権の専門家である弁護士の佐藤暁子さんによる報告をまとめたものである。この場を借りて、あらためて 3 人の登壇者にお礼を申しあげる。

　2020 年から 2022 年 5 月の現在に至るまで、間断なくコロナパンデミックが世界を襲っている。コロナ禍は、とりわけ現代奴隷の被害者にさらに深刻な影響をもたらしている。本書『現代的形態の奴隷制——存続し変化する 21 世紀の人権問題』が、現代世界のこの問題を書き留める記録になることを願う。

　2022 年 5 月

反差別国際運動（IMADR）

# 目　次

# 現代的形態の奴隷制とは？

「現代的形態の奴隷制」は、移動の自由を奪ったり、処罰や暴力、権力を乱用して、被害者の意思に関わらず、拒絶することも離れることもできないような搾取状態に置くことを指します。

これらの状況がもたらす人間の尊厳に反する労働・生活環境に光を当てるため、「現代的形態の奴隷制」という言葉が使用されています。

「現代的形態の奴隷制」には以下のようなものが含まれるとされています

| | |
|---|---|
| **強制労働**<br>移動の自由の制限や、身体的・性的暴力、脅迫など、処罰の脅威にさらされて、自分の意思に反して仕事やサービスを強要されること。 | **強制結婚・児童婚**<br>児童婚は18歳未満での結婚、またはそれに相当する状態にあること。強制結婚は、当事者の一方または両方が、同意なしに、または自分の意思に反して行われる結婚のこと。 |
| **人身取引**<br>強制的な手段や暴力、脅迫、誘拐、詐欺行為を用いたり、脆弱な立場に乗じたりして、人を獲得・輸送・受け渡ししたり、労働を強いたり、奴隷化したりすること。 | **世襲による奴隷制**<br>先祖が権力者や農園主や地主の下で働いていた状態が、世襲として代々受け継がれ、現在も同じ身分に縛られていること。 |
| **債務労働**<br>自らの、または受け継いだ借金の返済のために働かされること。騙されて、自分で借金を管理できないまま、ほとんど、あるいは全く賃金を支払われずに働かされる。 | **家事労働と奴隷制**<br>家事労働は、大抵個人の家で24時間住み込みで働き、外部との接触が限定され、法的な保護がないため、搾取や家庭内奴隷に陥りやすい。 |
| **児童労働と奴隷制**<br>大人の利益のために子どもを強制的に搾取すること。子どもは搾取されている状況や搾取している人から離れることができない。 | **サプライチェーンにおける奴隷制**<br>カカオや綿花などの原材料の採取から、携帯電話や衣料品などの商品の製造、出荷など、サプライチェーンのあらゆる段階に奴隷制に陥る罠が潜んでいる。 |

参考：Anti_Slavery International

# 身近な製品と現代的形態の奴隷制

　全世界で強制労働を強いられている人は2500万人にのぼると推定されています。その多くが、サプライチェーンの中で労働を強いられています。比較的単純で短い国内サプライチェーンもあれば、膨大で複雑なグローバルサプライチェーンもあります。ひとつの企業が世界100カ国で事業を展開し、何万もの企業、何十万人もの労働者が関与する場合もあります。

　サプライチェーンを追跡する能力は、強制労働や児童労働を特定し、対処し、防止するために非常に重要です。しかし、サプライチェーンの複雑さによっては、追跡が非常に困難な場合があります。

　アメリカ合衆国労働省が作成した報告書「児童労働または強制労働によって生産された商品のリスト2020」では、サプライチェーンの複雑さとリスクを示す典型的な3つの例をあげています。

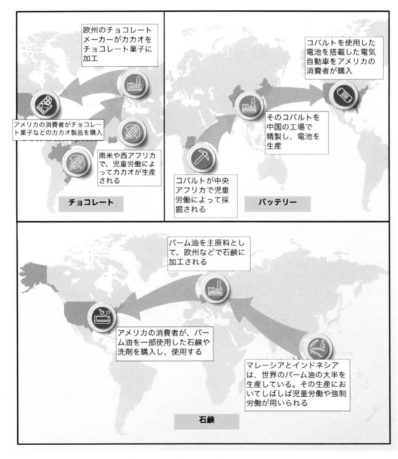

チョコレート
- 欧州のチョコレートメーカーがカカオをチョコレート菓子に加工
- アメリカの消費者がチョコレート菓子などのカカオ製品を購入
- 南米や西アフリカで、児童労働によってカカオが生産される

バッテリー
- コバルトを使用した電池を搭載した電気自動車をアメリカの消費者が購入
- そのコバルトを中国の工場で精製し、電池を生産
- コバルトが中央アフリカで児童労働によって採掘される

石鹸
- パーム油を主原料として、欧州などで石鹸に加工される
- アメリカの消費者が、パーム油を一部使用した石鹸や洗剤を購入し、使用する
- マレーシアとインドネシアは、世界のパーム油の大半を生産している。その生産においてしばしば児童労働や強制労働が用いられる

参考：アメリカ合衆国労働省発行
「児童労働または強制労働によって生産された商品のリスト2020」より

# 数字で見る現代的形態の奴隷制

## ILO 2016年調査データより

### 4000万人

世界では、およそ4000万人が現代的形態の奴隷制の状態にありました。その内、2490万人が強制労働を強いられていて、家事労働、建設現場、農業や漁業、性産業などで、脅しや強制のもと働かされていました。

多くの場合、こうしたプロセスを経て提供される製品やサービスは、一見すると合法的な商業ルートに流れています。これらの労働者は、私たちが食べている物や着ている服を生産し、私たちが暮らしやすく働きやすいように環境を維持してくれています。

また1540万人が、強制的な結婚を強いられ、「結婚」の名の下に労働力や性を提供させられていました。

### 71%

現代的形態の奴隷制は、女性と少女に被害が偏っており、全体の71%にあたる2870万人になると言われています。

性産業における強制労働の被害者の99%、国家権力によって課せられた強制労働の被害者の40%、強制結婚の被害者の84%を占めています。

### 4人に1人

強制労働の被害者のほぼ4人に1人が元の居住国以外で搾取を受けています。移住労働者は移住プロセス全体を通じて人身取引の被害者となりやすく、国連薬物犯罪事務所の報告によれば、2012年から2014年の間に発見された人身取引被害者のおよそ60%が元の居住国以外で搾取を受けていました。移住労働者は家事労働、製造業、建設業、農業などの部門に集中しており、特に家事労働者はもっとも弱い立場に置かれます。

### 1000人に7.6人

現代的形態の奴隷制は地球上のどの地域でも存在しますが、特にアフリカで最も多く見られ（1000人あたり7.6人）、次いでアジア・太平洋地域（1000人あたり6.1人）、ヨーロッパ・中央アジア（1000人あたり3.9人）となっています。なお、アラブ諸国やアメリカ大陸など、一部の地域では入手可能なデータがないため、これらの結果を慎重に解釈する必要があります。

参考：現代奴隷制の世界推計 (ILO)

# 現代的奴隷に関する国連の取り組み

小保方智也　英国キール大学国際人権法教授

## はじめに

　皆さんこんにちは。本日は記念すべき第 30 回 HRS にご招待いただきありがとうございます。

　まず、本題に入る前に、国連人権理事会の特別手続きの仕組みと役割を簡単に説明します。特別手続き、英語で「Special procedures」は国連人権理事会から任命される、独立した人権専門家のことを指し、我われは一般的に任務保持者、英語で「Mandate holders」と呼ばれています。この中でもいくつか分類があり、私のような「Special Rapporteur（特別報告者）」、「Independent Expert（独立専門家）」、そして「Working Group（作業部会）」があります。名称は異なりますが任務は同じです。任期は 1 期 3 年ですが個々のマンデートが廃止されない限り、自動的にもう 1 期延長されるのが慣例です。私の場合は 2020 年に任命されたので 2026 年まで務める予定です。

　任務保持者は世界の全地域から任命されています。日本で言うと、1990 年代に国際法学者の横田洋三先生がミャンマーの特別報告者を務められました。2006 年に現国連人権理事会が設立されてからは、私が日本人として初めての特別報告者です。日本も、もちろん人権のエキスパートは大勢いらっしゃるので、今後日本人の任務保持者が増えていく

とよいと思います。

　特別手続きには大きく分けて2種類あります。まず、私を含めて特定のテーマを扱う任務保持者です。現在のテーマとしては、言論と表現の自由、拷問、人種差別、女性に対する暴力、人権と環境、貧困などがあります。テーマ別の任務保持者は、グローバルな観点からいろいろな国の状況を調査、監視、そして報告をします。私自身のマンデートは1974年から活動していた、現代的形態の奴隷制の作業部会の後任として2007年に設立されました。過去に2人の前任者がおり、私で3人目です。扱う問題としては、人権理事会の決議に基づき、奴隷制度、強制労働、債務労働、児童労働、性的搾取、強制結婚などがあります。

　このような問題はSDGsの「持続可能な開発目標」の第8目標「働きがいと経済成長」の中の、特にターゲット8.7に沿ったものであり、このターゲットが達成できるよう、政府、国際機関、NGOやその他の関係者にアドバイスをするよう人権理事会からも要請されています。ちなみに、このターゲット8.7の内容ですが、強制労働を完全になくし現代的奴隷制と人身売買を終わらせ、子ども兵士の募集・使用を含めた最悪な形態の児童労働を確実に禁止・撤廃するための効果的な措置を直ちに実施し、2025年までにあらゆる形態の児童労働をなくすというものです。

　テーマ別のほかには、特定の国に関する特別手続きがあります。現時点で11ヵ国が対象になっており、例をあげると、ベラルーシ、カンボジア、ミャンマー、北朝鮮、イラン、マリなどがあります。国別の任務保持者は、担当している国でいろいろな人権問題を幅広く取り扱います。テーマ別の任務保持者と異なり、国別の任務保持者の任期は1期1年で毎年更新され、最長6年まで務めます。

　すべての特別手続きに共通する主な任務の内容ですが、まず、第一に個別のテーマ、国に関する人権状況の調査・報告、そして勧告をすることです。このために私を含めて多くの任務保持者は国連人権理事会と総会に毎年報告書を提出します。内容は個々で選べるので、多少のフレキシビリティがあります。証拠に基づき、客観的そして正確な報告書を作

成するためにいろいろな情報を利用します。私自身でリサーチもしますが、時間に限りがあるため、各国政府、NGO、研究機関などからの情報提供も受け、そして時にはコンサルテーション（協議会）も実施します。私の場合、2020年のテーマは、新型コロナウイルスの現代的形態の奴隷制に対する影響でした。今年は、国連総会には、組織犯罪グループの役割、そして人権理事会には強制的移動と奴隷制に関する報告書をそれぞれ提出しました。我われの報告書は政府、NGO、国際機関、そして研究者の方がたから幅広く読まれており、各国の政策立案やほかの団体のアドボカシーに役立てられています。

　別の任務として、毎年2ヵ国ミッションに行き、人権状況を調査・報告します。

　去年（2020年）は新型コロナウイルスのため、残念ながらどこにも行けませんでしたが、今年（2021年）は来月にスリランカに行く予定です。そのほかは、カナダ、アフリカのモーリタニア、そして中央アメリカのコスタリカからも招待を受けているので、来年（2022年）から忙しくなるかと思います。ミッションに行くと、政府関係者だけではなく、現代的形態の奴隷制の被害者、NGO、国際機関などと幅広くコミュニケーションを図れるので、貴重な情報を得ることができます。

　そしてもう一つ大切な仕事は、人権侵害に関する通報を被害者、NGOや国際機関などから受けた際に、緊急に調査し、関係諸国、機関や企業に説明と対処を、**コミュニケーションズ**と呼ばれている手段を使って促すことです。

　我々の行う特別手続きの利点は、人権条約機関に比べると迅速に国々とコミュニケーションを図り、改善を求められることにあります。最近の例としては、今年初め、中国のウイグル族の強制労働の通報を受け、私のマンデート、マイノリティの人権に関する特別報告者、ビジネスと人権の作業部会などと共同で、中国政府と関連企業にコミュニケーションズを送りました。その中には日本企業も含まれています。コミュニケーションズには、人権状況の改善のほかに宣伝や透明性向上の効果もあります。

## 世界に存在し続ける現代的形態の奴隷制

　それでは本題に移りたいと思います。

　一昔前、欧米やほかの地域に存在した奴隷制度は、現在ほとんどの国で法律上禁止されています。それにもかかわらず、奴隷制度に類似した人権侵害、たとえば強制労働、債務労働、性的搾取、強制児童婚などは、残念ながら全世界に存在し続けています。これは発展途上国に限らず、日本のような先進国にも見られます。

　特にリスクが高いグループとしては「女性」「児童や若者」「先住民族」「マイノリティ」「障害者」「高齢労働者」そして「移民労働者」があげられます。

　ILO 国際労働機関によると、全世界に約 1 億 7,000 万人近くの移民労働者がいます。この中にはいろいろなカテゴリーがありますが、まずは、各国の法律に従って事前に就労許可を取得し、合法的に海外で働いている方がた。次に迫害や深刻な人権侵害のために、他国に避難を強いられた難民や庇護希望者など。そして海外で人身売買の被害に遭われた方がたです。

　このような状況に置かれた移民の中で、何人くらいが現代的形態の奴隷制の被害に遭っているかは定かではありませんが、さまざまな要因があるということは明らかになっています。

　その要因として、まず第一に、自国の貧困や経済的困難があります。その状況を改善し、家族を養うために国外に移住しようとする方がたが大勢いることは事実です。

　第二の要因は差別です。人種、宗教、ジェンダー、国籍その他の差別は、移住を余儀なくされる原因でもありますが、移住先で奴隷労働を助長する要因でもあります。

　第三は、人道的危機です。紛争、災害、新型コロナウイルス感染症などの危機的状態に置かれた国では、政府の法執行機関や労働機関がきち

んと機能しなくなり、奴隷労働などに対して適切な対処ができなくなります。人道的危機は組織犯罪やテロのグループが人身売買のために利用することもあります。現在、アフガニスタンやミャンマーで直面している問題がよい例だと思います。

　第四に、滞在・就労資格の有無があげられます。合法的な形で正式に入国し働いている方がたに比べると、人身売買の被害者など、違法な入国を余儀なくされた方がたは特に奴隷労働の犠牲になるリスクが高くなります。それはなぜかと言うと、逮捕や強制送還を恐れていたり、あるいは人身売買を主導した組織犯罪グループなどの恐喝によって、警察や入管に助けを求めることができないからです。

　第五は、インフォーマルもしくは非公式経済です。インフォーマルな仕事の主な特徴は、雇用契約がなく福利厚生や社会保障の対象にならないということです。発展途上国では90%以上の労働者がインフォーマルセクターで働いています。例としては露天商、靴磨き、ゴミ集め、日雇い労働、家事労働などがあります。自国民に比べると移民労働者がインフォーマルな仕事に就く確率が非常に高く、そうした人たちが企業や雇用主に利用され、強制労働の犠牲になる確率も高くなってきます。そしてその多くの方がたは、人権、特に労働に関する権利の知識を持っていないため、違法行為をきちんと通報できないのも、このような状況を助長しています。

　先ほど申し上げましたが、今年の人権理事会へ提出した報告書のテーマが強制的移動ということで、難民や庇護希望者、国内避難民（IDP）、そして無国籍者の労働環境を調査しました。国際難民法上では、正式に認定された難民は、労働に関する権利は自国民と同様の扱いとされるべきですが、現実にはたとえ専門分野で資格や職歴があってもインフォーマルな仕事に就くことを余儀なくされています。国内避難民の場合、移動した地域や住民から差別を受け、仕事を見つけるのも難しいということが多くの国で見られます。さらに厳しいのは、庇護希望者や無国籍者のケースです。こうした人びとは滞在・就労資格が各国の法律によって

定かではなく、フォーマルな仕事に就くことができないので、労働環境が非常に厳しい状況で働くことを余儀なくされています。

## 移民はどのような被害にあっているのか？

　では実際に移民の方がたが、現代的形態の奴隷制によってどのような被害にあっているのか説明します。まずは強制労働についてです。1930年のILO強制労働条約によると、「処罰の脅威によって強制され、また自らが任意に申し出たものではない全ての労働」と記されています。実際、これをどう解釈してよいかは難しいと思いますが、ILOによると強制労働にはいくつかの指標が示されています。たとえば、①労働者に対する脅迫と脅威、②虐待的な労働環境、③身体的もしくは性的暴力、④パスポートなどの重要書類の没収、⑤無報酬、そして過度の残業、などです。こういった指標は国際労働法ももちろんですが、その他にも経済的、社会的及び文化的権利に関する国際規約の中の、特に第6条の「労働に関する権利」と第7条の「公正かつ良好な労働条件を享受する権利」の明らかな違反です。このような状況は、先ほども述べたインフォーマルセクターに多く見られ、移民労働者も犠牲になっています。

　強制労働がよく見られる業界には農業、漁業、製造業、縫製業、建設業、ケータリングなどがあります。アジア圏内で言うと、東南アジアで強制労働が頻繁に見られます。たとえば、タイやインドネシアでは漁業で働く移民がそうした条件で働かされ、カンボジアやバングラデシュでは女性や児童が縫製業で低賃金・長時間労働を強いられています。このような業界には多くの日本企業も関わっているので、デュー・デリジェンスを強化しなければならないのは明らかです。

　次の例は、家庭内の強制労働、もしくは家事奴隷に関するものです。英語では「Domestic Servitude」と言います。いわゆる、家事使用人やホームヘルパーのことです。特に移民女性と少女が被害に遭いやすいので、ジェンダーの側面からも重要な問題です。このタイプで特に難しい

のが、過酷な労働が一般家庭の中で行われるので発見されにくいということです。最近では、外交官が自国から家事使用人を連れてきて、過酷な労働を強いるケースも増えてきているようですが、外交特権の一部として不逮捕、刑事裁判免除などがあり、法の執行を妨げています。

　家庭内の強制労働はもちろん全世界で見られますが、昨今、問題視されているのが、中東にある「カファラ制度」というものです。これは家庭内や建設現場で働く移民を管理するシステムで、問題が起きても被雇用者は雇用主を変えることができないなど、「虐待を温存する制度」だと人権団体から常々批判されています。最近では、サウジアラビアやカタールなどの国が改革に乗り出していますが、移民労働者への人権侵害が未だ続いていることも事実です。これは新型コロナウイルスでより深刻になりました。カファラに似た制度はもちろんほかの地域にも存在します。欧米に見られる農業の季節労働者もよく似た例だと思います。

　強制労働の中でも特に深刻なのは児童労働です。今年（2021年）は国連総会の議決により、児童労働撤廃年に制定されました。しかし、今年発表されたILOの報告書によると、児童労働は2016年から上昇傾向にあります。先ほど申し上げたSDGsのターゲット8.7の達成があまり進んでいないことは明らかで、私としてもいろいろなフォーラムを通じて懸念を表明し、各国に改善するよう常々勧告しています。

　次の例は性的搾取、特に強制売春です。移民女性や少女が人身売買と性的搾取の標的になりやすいことは周知の事実です。今後、より取り組まなければならない課題は、性的搾取に現代のテクノロジーが利用されているということです。スマホアプリやInstagram、Facebookなどを通じて女性や児童にコンタクトし、のちに売春などを強要する事例が年々増えているのは間違いありません。政府ももちろんですが、Google、Apple、Facebook、マイクロソフトなどのテクノロジー関連企業も、進んで性的搾取を含めた現代的形態の奴隷制に真剣に向き合う必要があります。私も去年就任してからこのような企業と緊密にコミュニケーションを図っており、将来的にテクノロジーと現代的形態の奴隷

制をテーマとして扱う予定です。

　先ほど申し上げましたが、今年の国連総会に提出した報告書は、国際組織犯罪グループの役割についてです。世界の全地域を調査しましたが、やはり性的搾取、人身売買はこのようなグループが強く関与しています。多くのグループでは犯罪活動が非常に洗練されており、賄賂を含む腐敗行為、脅迫や暴力、テクノロジー、資金洗浄を駆使して、性的搾取を国内だけではなく海外でも展開し、莫大な利益を違法に得ています。中国の蛇頭、日本の暴力団、アメリカのマフィア、アフリカではナイジェリアの犯罪グループなどが有名です。そして新型コロナウイルスで、さらに明らかになったのが、仕事を失った女性たちがほかの選択肢がなく、生きるために売春に手を染めていく事例で、いろいろな国で確認されています。また、性的搾取は人道的危機の中で起こる頻度が非常に高いということを心に留める必要があります。

　最後に、性的搾取以外の犯罪行為に移民が利用されるということです。私が住んでいる英国に見られる事例を紹介します。国内で出回っている違法薬物であるマリファナは、大半はベトナムと中国から組織犯罪グループにより連れてこられた人身売買被害者の強制労働の下で栽培されたものだ、ということです。その他の例として保険詐欺、窃盗、物乞い、強制結婚に移民が頻繁に利用される事例が欧米では多く見られます。特に問題なのは、先ほども申し上げた通り、児童がこのような犯罪行為に利用されるということです。

## 現代的形態の奴隷制による人権侵害に立ち向かうために必要なこと

　それでは、このような深刻な人権侵害に対処するために何が必要なのでしょうか。まず一番に大切なのは被害者の救済と保護です。これは各国に課せられた国際人権または労働法上の義務です。心理的サポートも含めた医療支援。そして経済・社会保障の援助はもちろんのこと、非正規滞在を余儀なくされた方がたは、その国で保護を受けられるよう在留

資格を与え、強制送還はノン・ルフールマン原則に反する可能性もあるので、控えなければなりません。そして被害者が法的あるいはその他の措置を使えるような環境を作ることも重要です。特に移民労働者は、移住先の言語の難しさや、解雇の恐れなどを理由に泣き寝入りする可能性が非常に高いので、この現状を改善する必要があります。独立した人権救済の窓口などをローカルレベルで設置し、労働の権利に関する正確な情報や通訳のサービスを提供することは、大切な第一歩だと思います。そして刑事・行政訴訟を望む被害者には自国民と同様に、弁護士へのアクセス・費用などを含めて国や政府としてさまざまなサポートを提供する必要もあります。その他、仕事に関するサポートを強化することも大切だと、私個人は考えています。特に、インフォーマルではなくフォーマルな仕事に就けるように差別をなくす努力が、今後はより必要となります。これは政府だけではなく、企業や雇用主が進んで取り組まなければならない課題でしょう。

　次に、各国政府には現代的形態の奴隷制を防ぐ義務があることをお話ししましょう。まずは、移民を利用したり犠牲にする企業や組織犯罪グループなどを適切に処罰する必要があります。もちろん、ほとんどの国で人身売買や強制労働を罰する法律がありますが、それらがきちんと執行されていないのも現実です。

　そして労働形態の調査を強化することが必要です。労働を監視する専門機関がある国は、その機能の向上を図らなければなりません。このために十分な人材と財源を確保することで、定期的に調査ができれば奴隷労働の摘発、改善につながります。ここで大切なのが、企業や雇用主に緊密なコミュニケーションと協力を促すことです。現代的形態の奴隷制の認識と CSR を強化することで将来的な防止につながります。

　さらに、2011 年に国連人権理事会で承認されたビジネスと人権に関する指導原則をより普及させ、労働形態に反映させる必要もあると思います。労働形態の改善のほかに、今後大切な課題としては、団結権の強化があげられます。労働組合に参加、もしくは結成する権利です。自由

活動の保障や交渉権は立場が弱い移民労働者には特に重要ですが、このような権利が保障されていない国ぐにがあるのも事実です。そしてNGOや労働組合も、労働形態を監視し透明性を向上させ、そして企業や雇用主に改善を促す重要な役割を担っているので、それらの団体の活動を妨害する行為を防ぎ、協力関係を築くことも大切です。私も国連特別報告者として、現代的形態の奴隷制を撲滅するため、政府や企業の行動を監視・勧告する立場にありますが、自身の任務をより効果的に遂行するためには、政府のほかに、NGO、労働組合や研究機関の協力が不可欠です。

## おわりに

　そこで、もしこういった団体、機関の方がたが本日のウェビナーに参加している場合は、私からお願いがあります。まず第一に、報告書を作成する際に必要な情報提供にご協力ください。私一人で正確な情報を短期間で全世界から得るには、残念ながら限界があります。提供の要請はウェブサイトやメールなどから毎年関係者に通知しますが、日本から情報を受けたことはあまりないのが現状です。豊富な知識・経験がある日本の機関や団体からご協力いただければ、本当にグローバルな観点から報告書を作成できるとともに、日本の現状を全世界に発信していくことが可能になります。そして今後もし、奴隷労働などの人権侵害の疑いがある場合は、ぜひ通報してください。そうしていただければ、迅速に調査し、必要ならば日本政府や企業などに対話・改善を促すことができます。今日のウェビナーを機に、日本にいる方がたと協力関係を築いていければ幸いです。それでは、私の話はここで終わらせていただきます。ご静聴ありがとうございました。

# 移民労働者は現代奴隷？

ローテーション政策に持続可能性はあるか

旗手明　自由人権協会　理事

## 日本国内における在留外国人の状況

　先ほど小保方さんが報告された国際的な動きを踏まえて、私からは日本の文脈でどういうことを考えればよいかという話をします。

　最近の在留外国人の全体的な動きは、図2-1のようになっています。これは2015年までは5年おき、それ以降は毎年のデータです。2020年はその前年と比べてコロナ禍の影響で若干減少に転じましたが、その前は年間20万人近く在留外国人数が増加するという急増傾向にあったというのが実情です。

　具体的には、国籍別ではベトナムが中国に次いで2番目に上がってきています。在留資格別では永住者に続いて技能実習生が2番目に多く、近年はこうした外国人労働者の増加によって在留外国人数が増えているという状況が見られます（表2-1）。

　コロナ禍の下で在留外国人の数がどのような影響を受けているかについてですが、かなり凸凹があります（表2-2）。

　今日はこの点についての詳しい説明は割愛しますが、在留資格ごとに、新型コロナウイルス感染症のパンデミックによって出入国が自由にできないということの影響がさまざまな形で出ています。特に、後ほどの話とつながりますが、留学生など新たに日本に入国できないと在留者

## 図 2-1　在留外国人数の推移（長期）

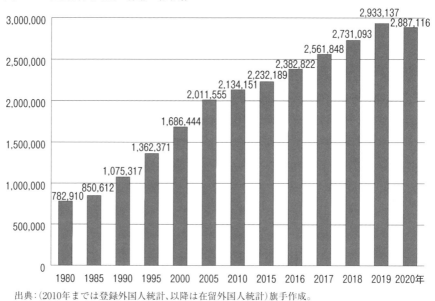

出典：(2010年までは登録外国人統計、以降は在留外国人統計) 旗手作成。

## 表 2-1　在留外国人数

| 在留資格別 | | | 国籍・地域別 | | |
|---|---|---|---|---|---|
| 永住者 | 807,517 | 28.0% | 中国 | 778,112 | 27.0% |
| 技能実習 | 378,200 | 13.1% | ベトナム | 448,053 | 15.3% |
| 特別永住者 | 304,430 | 10.5% | 韓国 | 426,908 | 14.8% |
| 技術・人文知識・国際業務 | 283,380 | 9.8% | フィリピン | 279,660 | 9.7% |
| 留学 | 280,901 | 9.7% | ブラジル | 208,538 | 7.2% |
| 定住者 | 201,329 | 7.0% | ネパール | 95,982 | 3.3% |
| 家族滞在 | 196,622 | 6.8% | インドネシア | 66,832 | 2.3% |
| 日本人の配偶者等 | 142,735 | 4.9% | 台湾 | 55,872 | 1.9% |
| 特定活動 | 103,422 | 3.6% | 米国 | 55,761 | 1.9% |
| 永住者の配偶者等 | 42,905 | 1.5% | タイ | 53,379 | 1.8% |
| その他 | 145,675 | 5.0% | その他 | 418,019 | 14.5% |
| 総数 | | | 2,887,116 | | |

出典：在留外国人統計。

表 2-2　コロナ禍の在留外国人数の変動

| 在留資格 | 2019年末 | 2020年末 | 増減数 | 増減率 |
|---|---|---|---|---|
| 技術・人文知識・国際業務 | 271,999 | 283,380 | 11,381 | 4.2% |
| 技能実習 | 410,972 | 378,200 | -32,772 | ▲8.0% |
| 特定活動 | 65,187 | 103,422 | 38,235 | 58.7% |
| 特定技能 | 1,621 | 15,663 | 14,042 | 866.3% |
| 高度専門職 | 14,924 | 16,554 | 1,630 | 10.9% |
| 介護 | 592 | 1,714 | 1,122 | 189.5% |
| 留学生 | 345,791 | 280,901 | -64,890 | ▲18.8% |
| 永住 | 793,164 | 807,517 | 14,353 | 1.8% |

出典：在留外国人統計

表 2-3　外国人労働者数（在留資格別）　　　　　　　　　　　　　　　　（単位：人）

| | 平成28年 | 対前年増減率 | 平成29年 | 対前年増減率 | 平成30年 | 対前年増減率 | 令和元年 | 対前年増減率 | 令和2年 | 対前年増減率 |
|---|---|---|---|---|---|---|---|---|---|---|
| 外国人労働者総数 | 1,083,769 | 19.4% | 1,278,670 | 18.0% | 1,460,463 | 14.2% | 1,658,804 | 13.6% | 1,724,328 | 4.0% |
| 専門的・技術的分野の在留資格 | 200,994 | 20.1% | 238,412 | 18.60% | 276,770 | 16.1% | 329,034 | 18.9% | 359,520 | 9.3% |
| うち技術・人文知識・国際業務 | 148,538 | 22.6% | 180,367 | 21.4% | 213,935 | 18.6% | 260,556 | 21.8% | 282,441 | 8.4% |
| 特定活動 | 18,652 | 46.8% | 26,270 | 40.8% | 35,615 | 35.6% | 41,075 | 15.3% | 45,565 | 10.9% |
| 技能実習 | 211,108 | 25.4% | 257,788 | 22.1% | 308,489 | 19.7% | 383,978 | 24.5% | 402,356 | 4.8% |
| 資格外活動 | 239,577 | 24.6% | 297,012 | 24.0% | 343,791 | 15.7% | 372,894 | 8.5% | 370,346 | 0.7% |
| うち留学 | 209,657 | 25.0% | 259,604 | 23.8% | 298,461 | 15.0% | 318,278 | 6.6% | 306,557 | -3.7% |
| 身分に基づく在留資格 | 413,389 | 12.6% | 459,132 | 11.1% | 495,668 | 8.0% | 531,781 | 7.3% | 546,469 | 2.8% |
| うち永住者 | 236,794 | 13.8% | 264,962 | 11.9% | 287,009 | 8.3% | 308,419 | 7.5% | 322,092 | 4.4% |
| うち日本人の配偶者 | 79,115 | 8.5% | 85,239 | 7.7% | 89,201 | 4.6% | 94,167 | 5.6% | 95,226 | 1.1% |
| うち永住者の配偶者 | 10,441 | 16.4% | 12,056 | 15.5% | 13,505 | 12.0% | 14,742 | 9.2% | 15,510 | 5.2% |
| うち定住者 | 87,039 | 12.7% | 96,875 | 11.3% | 105,953 | 9.4% | 114,453 | 8.0% | 113,641 | -0.7% |
| 不明 | 49 | 36.1% | 56 | 14.3% | 130 | 132.1% | 42 | 67.7% | 72 | 71.4% |

注1：各年10月末現在。
注2：在留資格「特定技能」は、「専門的・技術的分野の在留資格」に含む。
出典：外国人雇用状況の届出状況、毎年10月末。

表 2-4　外国人労働者受入類型

| | 在留資格 | 在留期間・更新 | 転職の可否 | 家族の帯同 | 根拠法 | 備考 |
|---|---|---|---|---|---|---|
| 専門・技術 | 各就労資格 | 有期＊ | ○ | ○ | 入管法 | 17種（24種） |
| 技能実習 | 技能実習 | 1年, 3年, 5年 | ×→△ | × | 〃 | 技能実習法 |
| 日系人 | 定住：永住 | 有期＊：無期 | ○ | △○ | 〃 | 活動制限なし |
| 高度専門職 | 高度専門職1号：2号 | 5年＊, 無期 | ○ | ○ | 〃 | 15.4スタート |
| 高度人材 | 特定活動 | 5年＊ | ○ | ○ | 〃 | 12.5スタート |
| EPA（介護・看護） | 特定活動 | 3年, 4年 | ×→○ | × | EPA、告示 | 08.8スタート |
| 家事労働者 | 特定活動 | 通算3年→5年 | △ | × | 特区法 | 15.9スタート |
| 建設・造船 | 特定活動 | 2年, 3年 | △ | × | 国交省告示 | 15.4〜23.3 |
| 製造業受入 | 特定活動 | 1年 | × | × | 経産省告示 | 16.3スタート |
| 介護留学生 | 留学→介護 | 1年, 3年, 5年＊ | ○ | ○ | 入管法 | 17.9スタート |
| 農業支援人材 | 特定活動 | 通算3年 | △ | × | 特区法 | 17.12〜20.3 |
| 特定技能 | 特定技能1号：2号 | 通算5年：3年, 1年, 6月＊ | ○ | ×：○ | 入管法 | 19.4スタート |

（＊：更新可）（△：事実上困難）
出典：旗手作成。

数が維持されない在留資格は大きく影響を受けています。

　表 2-3 で示す日本の外国人労働者数については、厚労省のデータなので先ほどの統計とは数値が変わっているところもありますが、現実に働いている外国人労働者の分析となります。この数も近年ずっと伸びてきており、毎年 20 万人近く外国人労働者が増えていました。昨年（2020年）でも一昨年と比べて、コロナ禍にも関わらず増えています。ただ、確かに増えてはいるものの、増え幅はだいぶ少なくなっており、コロナ禍の影響を大きく受けていると考えられます。

　今日中心的にお話しするのは、在留資格別では上から三つめの技能実習です。実は在留資格別に単独で比較すると、永住者の約 32 万人に対して、技能実習はこれを大きく超えて約 40 万人となっており、日本で働いている外国人の中で技能実習生が一番多いという状況になっています。

　これまで取られてきたさまざまな外国人の受け入れ策を表に示しました（表 2-4）。もちろん今日はこれを説明する時間はありません。ただ、特

徴的な点として、「特定活動」という在留資格での受け入れがかなり増えてきています。表 2-4 に記載の「家族の帯同」について見ると、「特定活動」の在留資格では×印が多くなっています。家族帯同を認めない、労働力としてだけ来て欲しい、という受け入れ方が主になっており、そのことは技能実習にも当てはまります。また、新たに「特定技能」という在留資格が設けられましたが、現在、運用されている特定技能 1 号でも家族帯同は認められていません。繰り返しになりますが、日本の外国人労働者の受け入れには、その人の家族が日本で暮らすことを考慮していない、人が生活することを想定せずに受け入れているという問題があります。

## 技能実習制度の問題は何か？

　ここからは技能実習の問題ですが、最も典型的に現れていることをお話しします。

　技能実習生は 2012 年には中国が 7 割を超えていましたが、現在は 2 割を切っています。その代わり、2012 年時点で 1 割少しだったベトナムが現在は半数を超えており、見事に国が置き換わっています。この背景にはそれぞれの送り出し国の経済発展の影響があるのではないかと考えられます。私が以前、中国の統計年鑑で調べたところ、2000 年から 2016 年の間に中国は賃金が約 7 倍に上がっていました。今後、第二の中国のような形でベトナムが経済発展を遂げていけば、日本に来る労働者数も減っていくことが予想されます。日本の賃金状況を見ても 1997 年をピークに、その後 85％くらいまで下がり、現在、少しずつ盛りかえしているというような流れで、右肩上がりでなく右肩下がりというのが日本の賃金の実態です。この点でも日本に来る魅力がだんだん薄れていくことになるでしょう。

　今日は人権リスクの問題がメインではありますが、そもそもこちらが門戸を広げたからといって、外国人労働者が次つぎに入ってくるという状況はそう長くは続きません。こうしたことも念頭に置きながら議論す

図 2-2 技能実習生をめぐる諸関係

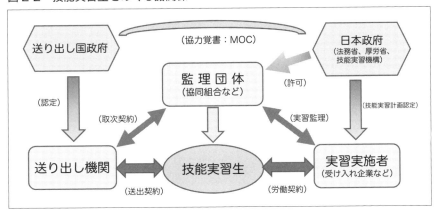

る必要があるでしょう。

　技能実習制度はなかなか複雑な制度なので今日は説明を省略しますが、法制度としてはものすごくギチギチに管理する形になっています。問題が多いので管理を徹底するのですが、それでも克服できないという点に本質的な問題があります。そのことを考える上で私が作ったのが図2-2です。

　図2-2は、技能実習生がどのような関係の中で日本へ来るのかということをまとめたものです。私は従来、これは技能実習生に特殊なあり方かと思ってきましたが、最近は少し考えを改めました。この構造は海外から労働者が入ってくる際のかなり普遍的な形態と考えてよいのではないかと思います。そこで、改めて作ったのが図2-3です。

　海外からある人が日本に来ようと思っても、いきなり来るわけにはいきません。そこをつなぐ、あるいは労働契約を結ぶ上でのマッチングなど、間に介在する人たちがどうしても必要になってきます。特別なケースは別として、基本的にこうした構造に頼らざるを得ません。

　そこに介在してくるのが「送り出し側のあっせん機関」や「受け入れ側のあっせん機関」です。こうした機関や組織が介在せざるを得ないという点に、国際的な労働力移動の一つの必然性があるのではないかと考えています。この点について私たちは従来、こうした構造はあっせん機

図2-3　外国人労働者をめぐる諸関係

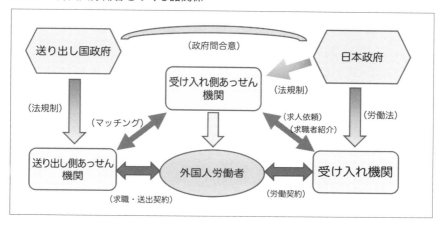

関を省いて政府間のみで行うことで打破できるのではないかと考えてき
ましたが、三菱 UFJ リサーチ＆コンサルティングが発表した韓国での
調査データを整理した資料によると、その想定とは異なる実態が見えて
きます（表2-5）。

　政府間で行えば仲介業者が入ることがなく、債務労働のような悪質な
事態を防げるのではないかという想定に反して、こうした場合でも非公
式費用（賄賂・斡旋手数料）や民間ブローカー費用が発生していると分
析されています（表2-6）。

　韓国の国家人権委員会が調査を実施したところ、政府の雇用労働部が
調査したデータとは大幅に異なり、ベトナムのケースではほとんどが1
万ドル以上を支払って韓国に来たとインタビューで答えています。抜粋
したこのインタビューによれば、1万ドルのうち5,000ドルは仲介機関
にいきますが、それ以外は中央労働部・地方労働部にいっているという
ことで、これをそのまま受け止めると政府機関自体が非公式費用を発生
させているということになります。つまり、受け入れ国サイドでどのよ
うな制度を作ろうと、送り出し国側に問題があれば現代奴隷的な問題が
起こるということを表しているのではないかと思います（表2-7）。

## 表 2-5　現地調査から見る韓国・雇用許可制度の実態（MUFG）

□評価のポイントは
1) ブローカーを排除する仕組みにしている。
2) 韓国人と外国人間で職の競合が起きないような仕組みにしている。
3) （実習・研修等ではなく）労働者としての受入れにより、韓国人労働者と外国人労働者は均等待遇である。
4) 勤務先の移動を認めており、非正規滞在者が減少している。
の4点にまとめられる。

■雇用許可制の実態（明らかになった点、上記四つの評価ポイントについて）
1) 雇用許可制下において「非公式費用（賄賂・斡旋手数料）」や「民間ブローカー費用」が発生しており、100万円近い借金を背負って韓国へ入国している労働者が存在する。
2) 労働市場への影響を抑えるため労働市場テストを実施しているが、韓国人労働者の採用実績は1%程度にとどまる。韓国人労働者の中には外国人労働者の流入により雇用機会の縮小等の影響を受けている層が存在する。
3) 賃金、労働時間、住居環境等において、外国人労働者が劣悪な環境で就労・生活を強いられている実態が存在する。
4) 勤務先変更が制度としては準備されているが、実質的な利用は難しく、法令違反をして変更せざるを得ない状況がある。また、非正規滞在者数・割合は年々増加しており、勤務先から離脱し、非正規滞在化している労働者も一定割合存在する。

## 表 2-6　送り出し国側との関わりで仲介斡旋費用や借金等の発生・額が決まる

□入国前の仲介斡旋費用やブローカーの発生、借金の有無、さらには入国後の労働条件は受け入れ国の制度（実習か労働か等）だけでなく、送り出し国側の制度も反映して決まる。

□そのため、受け入れ側の日本の制度自体の見直しもさることながら、送り出し国側の制度や実態についても目を向け、各国ごとに移住産業の構造や仲介斡旋費用発生のメカニズムについて詳細に把握していく作業が求められる。

さらに、韓国国家人権委員会（2013）が雇用許可制下で農畜産業に従事する外国人労働者に実施した調査によると、雇用労働部が把握している国政監査資料の数値よりも、ほとんどの国の出身者が高い費用を実際に支払って韓国に入国していることを明らかにしている。特にベトナム出身者については、雇用労働部が把握していた入国費用は平均788ドルであったが、上記調査（個人インタビュー、グループインタビュー）に応じたベトナム出身者のほとんどが、10,000US ドル（約100万円）以上を払って来韓したと語っている。

表 2-7　雇用許可制で働くベトナム人労働者のインタビュー抜粋

韓国に来るためにブローカーに支払わなければならない費用がとても高いです。私が来るときは 10,000 ドルでした。…その個人が出した 10,000 ドルのうち、500 ドルが地方の人材紹介会社の分け前になります。残り 9,500 ドルのうち 5,000 ドルは、中央労働部に行き、4,500 ドルは地方労働部がもらいました。…もしハノイから離れた地方で申請する場合、さらなる送出会社の段階を経る必要があります。そのようなステップが複数回あるほど多くのお金が必要になります。

ベトナムでブローカーを介さず韓国に来られる方法はありません。ブローカー費用は少なくても 600 〜 700 万ウォン、通常は 1,000 万ウォン以上です。もし個人的に、ベトナムの労働部に直接申請をしようとすれば、はなから申請を受け付けてくれないか、申請を受け付けても処理をしてくれません。製造業でも、農業でも、漁業でも同様です。ブローカーは「出国するとき、空港で、お金をいくら必要だったか聞かれたら 1,000 ドルだったと答えろ。そうでなければ出国できない」と言います。だからみんな実際に支払った費用を隠すでしょう。

## 強制労働に通じる技能実習制度のあり方

　その結果として、技能実習生はさまざまな問題を抱えることになっています。新たな在留資格「特定技能」でも、現在は技能実習生から移行するケースが約 8 割を占めているので、こうした問題を避けられないのではと危惧されます。とりわけ、「多額の債務」「転職の自由なし」「強制帰国」、この三つが私のこれまでの経験も踏まえて、一番根幹的な問題だと考えています。その結果、低賃金労働の問題や暴力・セクハラの問題、あるいは生活上のさまざまな制約の問題、典型的には妊娠・出産に対する禁止など、こういったことが生まれてきていると考えています（図2-4）。

　小保方さんの報告の中でも触れられましたが、「転職の自由がない」こと自体が強制労働の一つのインディケーターになっていて、これは技能実習の場合、制度的にそう設計されています。また、多額の債務についてですが、私たちが相談等で扱っているベトナムから日本に来るケースでは、100 万円というのはアベレージです。日本に来るまで多少期間がかかると 150 万円、200 万円というケースもあります。少なくとも 70 〜

図2-4　技能実習生をめぐる問題

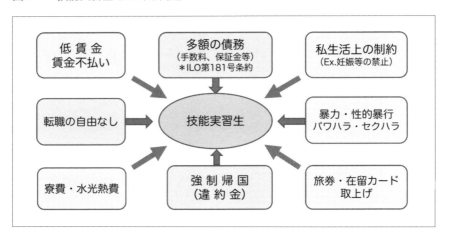

表2-8　技能実習生の根幹的問題（1）

| |
|---|
| 多額の債務（手数料、研修費用、渡航費等）<br>＊ILO「民間職業仲介事業所条約」第181号（日本、1999年批准）<br>　・第7条1項「民間職業仲介事業所は、労働者からいかなる手数料又は経費<br>　　についてもその全部又は一部を直接又は間接に徴収してはならない」<br>　・技能実習法施行規則第10条第2項第6号ニ：送り出し機関等に「支払う費<br>　　用につき、その額及び内訳を十分に理解してこれらの機関との間で合意し<br>　　ていること」つまり、手数料や経費等の徴収を認めている。 |
| ＊ILO：強制労働と人身取引（労働監督官ハンドブック）「強制労働の可能性の<br>兆候リスト」～高額な職業斡旋手数料または旅費を返さなければならない状況<br>か？<br><br>〈厚生労働省回答〉'19.11 技能実習での外国の取次送出機関や準備機関は、その<br>国の労働者から手数料・経費等を徴収できることとなっているかが、批准国の<br>国内で適用されるこの条約には必ずしも抵触するものではない。<br><br>➡送り出し機関等による手数料や経費の徴収禁止を協力覚書で確認すべき！ |

## 表2-9 技能実習生の根幹的問題（2）

転職の自由なし（例外的取り扱い）
＊技能実習基本方針（主務大臣：法務大臣・厚生労働大臣）
「第二号技能実習から第三号技能実習に進む段階では、技能実習生本人に異なる実習先を選択する機会を与える」
「実習実施者から人権侵害行為等を受けた場合はもとより、実習先の変更を求めることについてやむを得ない事情があると認められる場合」

＊技能実習運用要領
「実習実施者の経営上・事業上の都合、実習実施者における実習認定の取消し、実習実施者における労使間の諸問題、実習実施者における対人関係の諸問題等、現在の実習実施者の下で技能実習を続けさせることが、技能実習の適正な実施及び技能実習生の保護という趣旨に沿わないと認められる事情による実習先の変更」

＊ILO：強制労働と人身取引（労働監督官ハンドブック）「強制労働の可能性の兆候リスト」
〜特定の雇用主だけに固定されていないか？

➡転職の自由をより柔軟に認めるべき！

## 表2-10 技能実習生の根幹的問題（3）

強制帰国

＊技能実習基本方針（法務省・厚生労働省告示）
「倒産等のやむを得ない場合を除いては、実習実施者や監理団体の一方的な都合により、技能実習生が実習期間の途中でその意に反して帰国させられることはあってはならない」

＊技能実習生手帳
「意に反して帰国を促された場合にあっては、機構に相談や申告の申出を行うことができるほか、最終的には空海港での出国手続の際に入国審査官にその旨を申し出ることができます」

➡技能実習法において強制帰国を禁止し、罰則規定を設けるべき！

表 2-11　新型コロナウィルス関連相談事例（1）（2020 年 6 月）

・技能実習 3 年が修了し会社の寮にいるが、帰国できない。特別定額給付金 10 万円はもらったが、水光熱費などは自己負担のため 2〜3 万円しか残っていない。
・帰国できない技能実習生は 6 ヵ月滞在を延長できると聞いたが、会社は対応してくれない。帰国するまでの間、失業手当や会社の支援を受けられるか。
・5 月は 1 ヵ月間仕事が休みで、賃金の 6 割の休業手当が支払われた。6 月も仕事が少なく週 3 日勤務の状態で、収入は 8 万円未満に。来日前に 2 億ドン（約 92 万円）を高金利で借りており、返済困難で困っている。
・コロナの影響で、会社は仕事が少ない。日本人マネジャーは、私たちがミスをすると蹴ったり、首や頭をつかんだり、平手打ちをするなど暴力をふるう。その後、監理団体から「態度が悪いから辞めさせられたので、休業手当は支払われない」と言われた。
・技能実習生だが、月収は一番高い月で手取り 8 万円、5 月は 7 万円だった。控除が 5 万円ぐらいあるが、そもそも給料がベトナムでもらった契約書と違っている。ほかの会社に移りたい。

表 2-12　新型コロナウィルス関連相談事例（2）（2021 年 5 月）

・ピアノ修理の会社で塗装などをしていたが、数ヵ月経った頃から体調が悪くなり、吐き気、頭痛、腹痛などがあった。薬を処方してもらっていたが、今年に入り体調不良で 1 ヵ月ほど休んだ後、出社して 1 週間ほどで解雇通告された。
・技能実習 3 年が修了し、特定活動で働いていたが、精神的な暴力を受けたこと、賃金が日本人より低いことなどから退職した。帰国の航空券代について、監理団体は 5 万円しか負担しないと言っているが、仕方ないのか。
・仲間の実習生がコロナ陽性になり、同じ寮に住んでいた自分も感染した。現在自宅待機しているが、会社と組合に聞いたところ、休業中の賃金は払わないと言っている。
・日本人より賃金が低い上、長時間労働である。また、怒鳴られたり殴られたりと暴力も受けている。そこで監理団体に相談したら、社長から「辞めろ」と言われた。他の会社に移りたいが、監理団体からは「転職は難しい」と言われた。
・機械の修理作業中に部品が目の近くに当たり、右目は失明、左目は損傷した。さらに骨折も見つかり、手術入院を予定している。労災については、何も聞いていない。

表 2-13　国際的な批判が集中

◆国連自由権規約委員会（2008 年、14 年、20 年：延期）
◆国連女性差別撤廃条約委員会（2009 年）
◆国連人身売買に関する特別報告者（2010 年）
◆国連移住者の人権に関する特別報告者（2011 年）
◆国連人種差別撤廃委員会（2014 年、18 年、20 年フォローアップ）
◆国連人権理事会 UPR（普遍的定期的）審査（2017 年）
◆米国国務省人身売買報告書（2007 年〜 20 年：毎年）

80 万円は支払っているというのが実態で、債務労働と言ってよい状態です。問題があっても我慢して働き続けなければ債務の返済ができません。もしそこで声を上げると「強制帰国」ということになります。これでは負った債務を返済できなくなるので、声を上げづらい要因になっています。

　それから、コロナ禍の下で、私たちはホットラインを 1、2 ヵ月に 1 回のペースで、約 1 年半に渡り 11 回ほど実施してきました。具体的にどういった相談があるのか、イメージしていただくためにいくつか例をあげたのでご覧ください（表 2-11、2-12）。

## 国際社会からの批判と日本政府の対応

　こうした日本の実態に対しては、さまざまな国連の人権条約委員会あるいは特別報告者などから指摘を受けています。（表 2-13）最も頻繁に指摘しているのはアメリカ国務省の人身売買報告書で、2007 年以降、毎年出されています。これは今年出たものの中で主だったものを示しておきました。先ほど小保方さんが指摘されたさまざまな問題と重なるものが多いと思います（表 2-14）。

　人身取引に関する法規制にはさまざまなものがありますが、日本では 2017 年以降人身取引議定書に基づいた対応が始まっています。それ以外に、従来からある労働法、たとえば労働基準法や職業安定法などにも

表2-14　米国国務省人身取引報告書（2021年）

> ・強制労働の事案は、政府が運営する技能実習制度において引き続き起きている。
> ・技能実習制度の下での日本国内の移住労働者の強制労働が依然として報告されたにもかかわらず、またもや当局は、技能実習制度における人身取引事案や被害者を積極的には1件も認知しなかった。
> ・政府と送り出し国との協力覚書は、借金を理由に技能実習生を強要する主な要因の1つである外国に拠点を持つ労働者募集機関による過剰な金銭徴収を防止する上で効果を発揮していない。……技能実習生は、数千ドルの過大な労働者負担金、保証金や不明瞭な「手数料」を母国の送り出し機関に支払っている。
> ・関係府省庁の従事者たちは、あらゆる形態の人身取引を網羅していない統一性のない非効果的な認知・照会手順に依然として頼り、その結果、当局は人身取引の被害を受けやすい人たちを適切に審査し、あらゆる形態の人身取引被害者を保護することができなかった。
> ・技能実習生に「処罰合意」への署名を義務付け、労働契約を履行できない場合、何千ドルもの違約金を科す送出し機関もあった。

人身取引に関わる規定があります。また、刑法にも人身売買罪が規定されています（表2-15）。ただ、この中で労働法などは十分に機能しておらず、昨年日本がアメリカ国務省の人身売買報告書でワンランク引き下げられたことを機に政府側でも少し動きが出てきました（表2-16）。

　私たちは厚労省と非公式も含めてコミュニケーションを取っていますが、「重点解消事案」という言い方で、労働法違反に関連して技能実習生に対する人身取引が疑われる事案については特別な対応をするという取り組みが始まっています。2021年2月の通達なので、まだこれからという部分もありますが、新たな動きとして期待をしています。

　また、関連する動きとして、2021年6月にILOの強制労働の廃止に関する条約である第105号条約の批准整備のための法律が議員立法で成立しました。2022年にはこの条約が通常国会で批准されるのではないかという見通しになっています。日本はILOの中核的な8条約のうち2つが未批准でしたが、その一つがこの105号条約です。残りは111号条約で雇用差別禁止に関わる条約ですが、こちらはまだ批准の見通しがありません。

表 2-15　人身取引に関する法規制

〈国連・人身取引議定書第 3 条〉（2005 年国会承認、2017 年受諾書寄託、公布及び告示）

(a)「人身取引」とは、搾取の目的で、暴力その他の形態の強制力による脅迫若しくはその行使、誘拐、詐欺、欺罔、権力の濫用若しくはぜい弱な立場に乗ずること又は他の者を支配下に置く者の同意を得る目的で行われる金銭若しくは利益の享受の手段を用いて、人を獲得し、輸送し、引き渡し、蔵匿し、又は収受することをいう。搾取には、少なくとも、他の者を売春させて搾取することその他の形態の性的搾取、強制的な労働若しくは役務の提供、奴隷化若しくはこれに類する行為、隷属又は臓器の摘出を含める。

(b)（a）に規定する手段が用いられた場合には、人身取引の被害者が（a）に規定する搾取について同意しているか否かを問わない。

〈労働基準法〉

第 5 条：使用者は、暴行、脅迫、監禁その他精神又は身体の自由を不当に拘束する手段によつて、労働者の意思に反して労働を強制してはならない。

第 6 条：何人も、法律に基づいて許される場合の外、業として他人の就業に介入して利益を得てはならない。

第 117 条：第 5 条の規定に違反した者は、これを 1 年以上 10 年以下の懲役又は 20 万円以上 300 万円以下の罰金に処する。

第 118 条：第 6 条…の規定に違反した者は、これを 1 年以下の懲役又は 50 万円以下の罰金に処する。

〈職業安定法第 63 条〉

次の各号のいずれかに該当する者は、これを 1 年以上 10 年以下の懲役又は 20 万円以上 300 万円以下の罰金に処する。

1 暴行、脅迫、監禁その他精神又は身体の自由を不当に拘束する手段によつて、職業紹介、労働者の募集若しくは労働者の供給を行つた者又はこれらに従事した者

2 公衆衛生又は公衆道徳上有害な業務に就かせる目的で、職業紹介、労働者の募集若しくは労働者の供給を行つた者又はこれらに従事した者

〈刑法第 226 条の 2〉 人身売買罪（国外犯も対象）

1 人を買い受けた者は、三月以上五年以下の懲役に処する。

2 未成年者を買い受けた者は、三月以上七年以下の懲役に処する。

3 営利、わいせつ、結婚又は生命若しくは身体に対する加害の目的で、人を買い受けた者は、一年以上十年以下の懲役に処する。

4 人を売り渡した者も、前項と同様とする。

5 所在国外に移送する目的で、人を売買した者は、二年以上の有期懲役に処する。

表 2-16　人身取引に関する新たな通達（2021 年 2 月：厚労省）
（技能実習生に対する人身取引が疑われる事案への対応について）

```
＊対象：労働基準関係法令違反に関連して技能実習生に対する労働搾取目的の
　　　　人身取引が疑われる事案（重点解消事案）
＊体制：人身取引対策担当者（都道府県労働局・監督課）
　　　　技能実習機構との協議を経て、合同監督・調査を実施（原則、予告なし）
＊厳正な司法処分の実施：悪質性がある or 社会的に看過しえないもの
＊関係機関との連携・協力：検察庁、警察、入管局、技能実習機構、その他（自
　　　　　　　　　　　　　治体、NGO 等）
●関連する状況
・ILO 強制労働の廃止に関する条約（第 105 号）批准促進法の成立（'21.6.9）
　　→来年の通常国会での批准が見込まれる
・1930 年の強制労働条約の 2014 年の議定書：強制労働を防止するために取るべ
　き措置
```

　このほか、もう一つの強制労働条約（29 号条約、1930 年）について
2014 年に議定書が出されていますが、ここにはかなり具体的に強制労
働を防止するために取るべき措置があげられています。この議定書の批
准も、今後の運動課題にすべきではないかという議論をしています。

## 持続可能な受け入れ政策への転換に向けて

　最後に、今回のコロナ禍により、国際的な人流に制約を与える事象が
起きた場合、期間限定のローテーション政策での外国人労働者の受け入
れには、強い脆弱性があることが明らかになりました。また、人権侵害
が起きやすい受け入れ方であるため、企業にとってそのリスクへの対応
が大きな負担となりつつあります。さらに、経済的な合理性から考えて
も、受け入れ企業にとって一定期間で母国に戻る外国人労働者は、長期
的に企業の担い手として期待することはできず、そのため人的に投資す
る対象とはなりません。その結果、外国人労働者にとっても、熟練の形
成につながりづらいと言えます。また、家族滞在が認められないため、
家族の崩壊に結びつく懸念も大きく、その在留期間も永住権取得に反映

表 2-17　ロ一テーション政策の持続可能性を考える

> i　国際的な人流の制約（パンデミック・災害・紛争 etc.）
> 　　〜常に新たな供給が必要な政策には強い脆弱性がある
> ii　人権侵害＝企業のリスク＝企業の持続可能性の危機
> 　　〜国連を含む国際的な批判、ESG 投資など機関投資家の厳しい眼
> 　　　　“ビジネスと人権” 指導原則、現代奴隷法（イギリス・オーストラリア）
> iii　経済的な合理性
> 　　＊受入れ機関：長期の担い手とならず、人的投資の動機が働かない
> 　　＊外国人労働者：熟練形成が難しい、永住につながらない
> 　　　　「家族滞在」できない＝家族関係の崩壊の懸念⇨魅力に乏しい
> iv　送出し国の状況変化
> 　　〜経済発展による所得水準の向上、海外労働への依存からの脱却

表 2-18　持続可能性に向けた課題は何か？

> ＊国際的な労働力移動に伴うリスク
> 　いかにすればリスクを軽減できるか？
> ＊移民社会の自己認識、移民政策の可能性
> 　・現状認識と将来の見通しの共有
> 　・開かれた移民政策をどう構想するか（外国人労働者の自己決定権）
> ＊人権保護のインフラ整備
> 　人種差別撤廃法、国内人権機関、外国人労働者法など
> ＊状況変化に対応する継続的かつ柔軟な見直し
> 　多様性を反映したメンバーによる戦略的政策形成機能

されません。つまり、労使双方にとって、メリットの少ない受け入れ方であると言わざるを得ません。また、先ほど触れたように、送出し国側の経済発展により、日本で働く動機が弱くなります。こうしてローテーション政策には、持続可能性において大いに疑問符がつくことになります（表 2-17、2-18、2-19）。

　はじめにご覧いただいたように、すでに日本社会は 300 万人近い外国人が在留する移民社会になっています。ローテーション政策を克服するためには、まず今の日本社会の現実をはっきりと自己認識することが必

表 2-19　現行ローテーション政策の換骨脱胎

```
＊労働者＆市民としての十全な権利保障
 ・転職の自由をはじめとする基本的な労働権の保障
 ・労働市場が健全に機能し、労働条件を一定の水準で保持
 ・労働者に主体性・決定権を確保
 ・定住化の度合いにそって市民権を付与（教育、住居、医療、社会保障、社
  会参加 etc.）

＊現行ローテーション制度の組み替え
 ・転職の自由を実質的に確保＝使用者への絶対的な従属から解放
 ・家族滞在の許容＝人としての生活を保障
 ・期間制限の撤廃＝期間更新を可能に
 ・他の在留資格への移行を可能に＝永住も可能に
 ・キャリア形成をサポート＝日本語講習＆職業訓練など
```

要ではないでしょうか。その上に立って、開かれた移民政策をどう構想していくかが問われていると思います。

　私の話は一旦ここまでにします。どうもありがとうございました。

# サプライチェーンにおける現代奴隷の問題

佐藤暁子　弁護士（ことのは総合法律事務所）／ビジネスと人権リソースセンター日本リサーチャー代表

## サプライチェーンに潜む人権リスク

　弁護士の佐藤暁子と申します。本日はこのような機会をいただきありがとうございます。小保方智也さん、旗手明さんからグローバルな視点、そして日本の状況について詳細なご報告をいただき、私自身大変勉強になりました。本日はご参加の中に多数企業の方がいらっしゃいますが、先ほどの小保方さん、旗手さんのお話にもあったように、企業の方がたがこの問題をどのように捉えていくことが期待されるのかということについて、私からは、ビジネスと人権の観点からお話いたします。略歴については省略しますが、一点だけ申し上げますと、現在、私が弁護士としてビジネスと人権という問題に取り組んでいるのは、私自身が東南アジアの、カンボジアとタイのバンコクに住んだ経験があり、そこで感じたサプライチェーン上の問題や開発課題がビジネスと人権というトピックに取り組んでいる原点になっています。

　先ほど小保方さんから世界における奴隷労働・強制労働の実例についてご紹介いただきました。改めて、身の回りを見てみましょう。私たちが日頃使っている商品やサービスのサプライチェーンをたどっていった先には、強制労働をはじめとする多くの人権リスクが潜んでいます。こ

写真 3-1

Photo by Sovfoto/Universal Images Group/REX/Shutterstock

写真 3-2

Photo by rijans via Flickr

写真 3-3

HRW

こにビジネスと人権という課題を議論するにあたってよく取り上げられるセクターを示しました。

　写真3-1がコットンです。こちらは小保方さんも指摘されていた新疆ウイグル自治区の問題で、日本のメディアでも大きく取り上げられていますが、何もここ最近に始まったことではありません。従来から綿花の栽培・収穫は強制労働のリスクが非常に高いと指摘されていました。

　そして写真3-2はバングラデシュのラナプラザというビルの倒壊事故の写真です。この下にある写真と合わせてですが、このラナプラザというビルの中には多くの縫製工場があり、そこで多くのワーカーが働いていました。ここで作られた製品は海を渡って、欧米や日本のいわゆるハイブランドで販売されていたわけですが、その利益はここで働いていた方がたには還元されておらず、ワーカーの方がたの1日の賃金は数ドル。これも一種の強制労働の状態にあったと言えるのではないかと思います。需給のバランスが逸している中で働き続けた、この建物の安全性が十分に確保されていない状況で働き続けた、こうした状態に陥ってしまった結果、多くの命が失われた事件です。この事故から数年が経っていますが、いまだにこのようなサプライチェーンの上流に位置する国々における労働環境は改善されておらず、このラナプラザの事故はビジネスと人権の問題を端的に表すものとしてよく取り上げられるものです。

　続いて写真3-4は小保方さんからもご指摘があった水産業です。特に洋上、船上での労働環境は地上の労働と異なり、なかなかモニタリングしづらいため、強制労働のリスクが非常に高いとされています。加えて、新型コロナウイルスの影響もあり、かなり長期間船上にとどまっている、地上に降りることができない乗組員の方が非常に多いようです。水産業の関連では、日本は欧米と比べ漁業に関連する人権や乱獲に関する規制がまだ不十分ということもあり、強制労働に関係するようなシーフードがかなり入ってきているのではないかと指摘されています。

　次の写真3-5はパームです。こちらも多くの製品に使われている商材ですが、日本の輸入元であるインドネシア、マレーシアなどでも移民労

写真 3-4

ILO

写真 3-5

ILO

写真 3-6

OHCHR

働者の強制労働が報告されています。縫製工場の労働者については先ほど申し上げた通りです。特に女性のワーカーが多いということもあり、ジェンダーの視点から捉えることも非常に重要な業種です。

　また、気候変動と人権ということも、ビジネスと人権のトピックです（写真 3-6）。気候変動によって強制的に住むところを奪われる、生計手段を奪われる、移動せざるを得ない、そうした気候変動に関連した移民・難民の問題も増えていますが、気候変動に関する企業の責任もビジネスと人権の文脈から議論されています。

　このビジネスと人権というテーマを議論するにあたっては、指導原則が重要なガイドラインになります。もともと、人権というものは国家と市民の関係性を規律してきたものですが、国家と同等の、あるいは国家よりも強大な影響力を企業が持つようになってきたことで、企業に対してもきちんと責任を担保する仕組みが必要ではないか、といった声が市民社会から上がり、2011 年に国連人権理事会で、全会一致でこの指導原則が承認されています。今年（2021 年）は指導原則 10 周年ということで、この 10 年を振り返り、次の 10 年はどのようにビジネスと人権に関する取り組みを進めていくのかということについて、国連を中心に国際社会で議論されています（表 3-1）。

　指導原則の中では国家だけではなく企業も、世界人権宣言、自由権・社会権規約、ILO 中核的労働基準といった国際人権基準を尊重する責任を負うことが明記されています。この指導原則について説明する際によく言及される、「三つの柱」について話します。具体的には①国家による人権保護義務、②企業の人権尊重責任、そして③人権侵害が起きた場合の救済へのアクセス、の三つです。ここで中心となるのは人権に関するリスク、すなわち、人権の主体であるライツホルダーと呼ばれる人たちにどのようなリスクが、どのように及んでいるのか、ということが議論の対象になります。経営リスクがアプローチの主眼ではないと理解することが、企業の方がたの取り組みにとって大事な最初のステップになります。

表 3-1　国連ビジネスと人権に関する指導原則：UNGP

■国家による市民の権利保障を定めてきた「国際人権」が、その影響力ゆえ、企業にも尊重することを求める声の高まり
■ 2011 年国連人権理事会で全会一致で承認
　・企業も、世界人権宣言、自由権・社会権規約、ILO 中核的労働基準といった国際人権基準を尊重する責任を負うことを明記
　・NAP の策定・国内法化も欧州を中心に急速に進む
　・中心となるのは「人権リスク」（経営リスクではない）

## 「ビジネスと人権」に関する各国・地域・日本の動き

　ビジネスと人権の問題に関する日本の動きですが、昨年（2020 年）10月に行動計画である「National Action Plan（NAP）」が発表されています。この中で政府から企業への期待として、「人権方針の策定」「人権デュー・ディリジェンスの実施」「救済メカニズムの構築」といったものがうたわれています。ここで言う「人権デュー・ディリジェンス」とは何なのか、これをどのように実施していくのかということが、これから企業の方がたが取り組んでいくうえで重要になってくると思います。

　図 3-1 は OECD の責任ある企業行動のための OECD デュー・ディリジェンス・ガイダンスから引用してきたものです。「人権デュー・ディリジェンス」の取り組みとしては、企業が「人権を尊重します」というコミットメントを方針などで示し、経営陣によるきちんとしたコミットメントを内外に示すこと。そして自社の事業、サプライチェーン全体の中での人権リスクの有無をそれぞれのサプライチェーンの国ごと、あるいは業種の状況を反映した上で評価し、特定された人権に対する負の影響を停止・防止、軽減すること。さらに、行った対策についてどの程度実効性があるのかということをレビュー、モニタリングすることが求められます。また、これらに加えて重要なこととして、こうした一連の取り組みについて社内にとどまらず、外部に対してもコミュニケーション

図3-1　デュー・デリジェンス・プロセス及びこれを支える手段

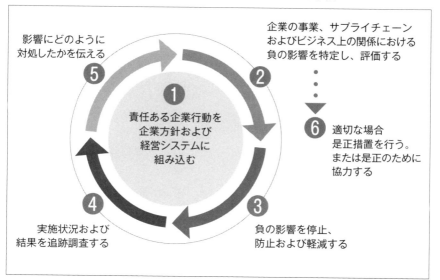

出典：OECD「責任ある企業行動のためのデュー・ディリジェンス・ガイダンス」21頁。

を取って伝えていくことがあげられます。透明性を持って自分たちの取り組みについて説明責任を果たしていくという一連のプロセスを、継続的に行っていくことが「人権デュー・ディリジェンス」です。また、適切な形で救済を提供することも重要です。

　指導原則も NAP もいわゆる法律ではありません。しかし、先ほど旗手さんからも言及がありましたが、グローバル社会の中では各国がビジネスと人権について法制化するという動きが広まっています。

　指導原則以前から紛争鉱物に関する規制があったアメリカに加え、イギリスの現代奴隷法、フランス人権デュー・ディリジェンス法、オーストラリアの現代奴隷法、一番最近のものではドイツの人権デュー・ディリジェンス法があります。そして現在は EU レベルでの環境・人権デュー・ディリジェンス法が議論されています。

　NAP に至っては、日本の1年前にタイで作成され、つい先日にはパキスタンでも NAP が作成されており、欧米の動きがアジア各国のビジ

表 3-2 　EU 環境・人権デューディリジェンス法

| |
|---|
| ■ 2020 年 9 月 2 日には 26 の企業、業界団体、イニシアチブが EU の人権・環境デュー・ディリジェンス法への支持を表明。<br>「義務的な法律は、競争力のあるレベル・プレイングフィールドに貢献し、人権と環境を尊重するために企業によって期待される基準についての法的確実性を高め、責任が果たされなかった場合の法的な影響を明確にし、サプライチェーンのパートナー間のエンゲージメントと影響力のある行動を促進し、何よりも現場における影響力のある効果的な行動の契機となり、インセンティブを与えることができる。各国の動向を反映し、明確な説明責任を伴う EU 全体の横断的な法律は、企業に対するこれらの期待を調和させ、最終的には人々と地球のための成果を向上させるべき」。 |
| ■ 2021 年 3 月 10 日、欧州議会にて環境・人権 DD 法ドラフトを含む報告書が採択。 |
| ■ 2021 年中に、欧州委員会にて法案が提示予定。 |

ネスと人権の施策に影響を及ぼしています。

　この EU レベルでの環境・人権デュー・ディリジェンス法については 2020 年から 2021 年にかけて、表 3-2 に示した企業、業界団体などによる支持が表明されています。ビジネスと人権、あるいはサステナビリティという分野においてもリーディングカンパニーとしてよく名前があがってくる企業が多いわけですが、企業自身も「人々と地球のため」に社会と環境のサステナビリティというものを実現するにあたって、一定の法施策が必要だという点では一致しています。この EU の環境・人権デュー・ディリジェンス法はすでに欧州議会でドラフトを含む報告書が採択されています。2021 年中には欧州委員会にて法案が提示及び採択される予定であると聞いていますが、今後も注視が必要です。

　対して日本はと言うと、ご承知の通りサプライチェーンにおける強制労働を含む人権リスクに対応するような法律はありません。一方で、ソフトローと呼ばれる、法的拘束力はないものの、企業、あるいは投資家にとっての行動指針となるものは出ています。投資家向けのスチュワードシップコードにおいては、サステナビリティのコードが 2020 年の改

表 3-3　日本のサステナビリティ関連：ソフトローの動き

---

■スチュワードシップコード：2020 年改訂
- ・目的：投資家の責任・義務を明確し、中長期的に投資家・企業間で緊張感のある関係の構築。
- ・法的拘束力はないものの、多くの機関投資家が賛同し、企業とのエンゲージメントにおいて活用。
- ・改訂で原則 7 に、エンゲージメントにおいて「サステナビリティ（ESG 要素を含む中長期的な持続可能性）」を考慮することが加わった。

■コーポレートガバナンスコード：2021 年 6 月 11 日施行
- ・目的：中長期的な企業価値増大に向けた経営者による的確な意思決定を支える実務的な枠組み。上場会社の持続的な成長と中長期的な企業価値の向上。コンプライ or エクスプレイン。
- ・補充原則 2 － 3 ①取締役会は、気候変動などの地球環境問題への配慮、人権の尊重、従業員の健康・労働環境への配慮や公正、適切な処遇、取引先との公正・適正な取引、自然災害等への危機管理など、サステナビリティを巡る課題への対応は、リスクの減少のみならず収益機会にも繋がる重要な経営課題であると認識し、中長期的な企業価値の向上の観点から、これらの課題に積極的・能動的に取り組むよう検討を深めるべきである。
- ・補充原則 3 － 1 ③（抜粋）上場会社は、経営戦略の開示に当たって、自社のサステナビリティについての取組みを適切に開示すべきである。

---

訂で加わりました。そして 2021 年 6 月に改訂されたコーポレートガバナンスコードでは「人権の尊重」という文言が加わっているなど、ビジネスと人権に関する問題に企業の経営課題として取り組むべきであるということが、確実に日本のソフトローの中にも組み込まれてきています（表 3-3）。

　とりわけ投資家の関心の高まりという点では、国連責任投資原則（PRI）が推し進めている「ESG」があります。この中の「S（社会）」というものがすなわち人権に対するものであって、この PRI を中心として投資家によるエンゲージメントの際の人権に対する注目や、企業とのエンゲージメントにおいて人権課題を強調する動きは今後も続いていくと思います。さらには、「E（環境）」も人権に関わっています。私たち市民社会としては、このような投資家のエンゲージメントを通じた企業の人

表 3-4　投資家の関心の高まり：ESG（環境・社会・ガバナンス）

| |
|---|
| ■ PRI（国連責任投資原則）は、2020 年 10 月下旬、投資家に対し、指導原則に基づく人権への取組みに関する新たな文書を発表。<br>　・ポリシーによるコミットメント<br>　・デュー・ディリジェンスプロセス<br>　・救済へのアクセスを可能に、あるいは提供すること |
| ■日本では、2015 年に年金積立金管理運用独立行政法人（GPIF）が PRI に署名し、ESG 投資を推進 |
| ■ 2020 年 10 月、PRI は「日本の持続可能な金融政策に関する報告」と題した提言書を公表し、企業の ESG 情報開示や気候変動対策に関する取り組みの強化を求めた。 |
| ■ 2021 年 8 月現在、日本では 96 社が署名。 |

権に対する取り組みの促進を推し進めたいと考えています（表 3-4）。

## 企業に対するベンチマーク：「Know The Chain」

　一つご紹介したいのは、国際人権 NGO ビジネスと人権リソースセンターが他団体と一緒に取り組んでいる、イニシアチブである「Know The Chain」についてです。

　人権に対する企業の取り組みに関してはいくつかのベンチマークがありますが、私たちの「Know The Chain」はサプライチェーン上の強制労働のリスクに関する取り組みに着目しています。具体的には強制労働のリスクの高い ICT、食品・飲料、アパレルという三つの分野に特化しており、その中で①コミットメントとガバナンス、②トレーサビリティとリスクアセスメント、③調達行動、④採用活動、⑤労働者の声、⑥モニタリング、⑦救済措置、という七つのテーマを基準にし、さらにこの中に 9 項目を設けて企業の取り組みを評価しています（図 3-2）。

　さて、2020 年のベンチマークですが、ICT 部門のアジア企業の評価はアベレージで 100 点中 20 点にも達しておらず、非常に低い評価に

## 図 3-2　企業に対するベンチマーク：Know The Chain

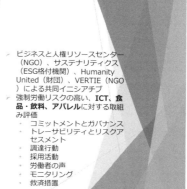

- ビジネスと人権リソースセンター（NGO）、サステナリティクス（ESG格付機関）、Humanity United（財団）、VERTIE（NGO）による共同イニシアチブ
- 強制労働リスクの高い、**ICT、食品・飲料、アパレル**に対する取組み評価
  - コミットメントとガバナンス
  - トレーサビリティとリスクアセスメント
  - 調達行動
  - 採用活動
  - 労働者の声
  - モニタリング
  - 救済措置

© 2021 Akiko Sato

なっています。また、このベンチマークで評価対象になった日本企業は10社で、その平均は18点でした。日本企業の取り組みは、まだまだ大きな改善の余地があるでしょう。

　続いて、食品・飲料です。こちらは世界全体の平均が100点中28点となっており、非常に低い評価になっていることに変わりはありません。ただ、評価対象となった日本企業3社は、いずれもこの平均スコアを下回る評価を受けています。全体として評価が低い食品・飲料部門ですが、比較的進んだ取り組みを実施している企業もある中で、日本企業はICT部門に引き続きこちらの部門でも改善の余地は大きいと言えます。

　最後はアパレル部門です。こちらは全体の平均が100点中41点という評価になっています。半分にも達していないものの、アパレル業界は従来から強制労働のリスクが指摘されてきたこともあり、他の2部門と比較するとある程度、取り組みが進んでいると言えます。これは日本企業に関しても同様で、評価対象となった2社はいずれも平均を上回る評価となっています。ただ、十分な取り組みになっているとは言えず、さ

図 3-3　人権リスクと経営リスクの関連性

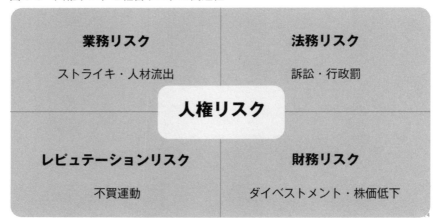

らなる改善が求められます。

　「Know The Chain」のいずれの報告書も、日本語のものをウェブサイトに掲載しているので、ぜひ全体をご覧いただければと思います。また、先ほど申し上げた指標についてもこの三つの分野に関わらず、サプライチェーンにおける強制労働のリスクへの取り組みということで自社でのセルフアセスメントに使っていただけると思います。

## 「グリーバンス」という仕組みの重要性

　人権リスクは、人に関するリスクであって経営リスクではないということを冒頭に申し上げましたが、結果的にこの人権リスクに十分に取り組まないことが経営上のリスクにもつながるということは言えるでしょう。業務上のリスク、訴訟といった法務上のリスク、また最近はエシカル消費（人、社会、地域、環境に配慮した消費行動）などサプライチェーン上の人権や環境に関する関心も高まっています。そうした消費者によるレピュテーションのリスク、あるいは先ほど申し上げた投資家の関心の高まりによる財務上のリスクもあります（図 3-3）。今まで、人権と言

表3-5　人権取り組みのポイント：グリーバンスの意義

| |
|---|
| ■人権リスクは「ゼロ」にはできない |
| ・事業活動は必然的に人・社会への負の影響を与える可能性を含む。<br>・いくら人権DDを実施しても、人権リスクは発生しうるのが当然。<br>・人権DDの目的は、人権リスクへの認識を高め、早期に適切に救済する仕組みを整えること。 |
| ■ステークホルダーに信頼され、使ってもらうグリーバンス制度が重要＝救済へアクセスする権利の担保 |
| ・活発な利用のためには、ステークホルダーが自分たちの権利を知る機会の提供（＝エンパワメント）が必要。<br>・従業員をはじめ、関連するステークホルダーが「ライツホルダー」であることを伝える意義。 |

うと、昔のCSRやチャリティといったイメージがあったかもしれませんが、現在は「人に対する人権リスクに取り組む」ということがすなわち経営課題でもあるということを、それぞれの経営者の方がたには強く認識していただきたいと思っています（図3-3）。

　人権の取り組み、今日は短い時間なので概要をざっとということではありますが、特に強調したい点としては「グリーバンス」と呼ばれる救済に関する仕組みの重要性についてお伝えしたいと思います（表3-5）。

　小保方さん、旗手さんのお話をお聞きになって感じられた方もいらっしゃるかもしれませんが、やはり人権リスクはゼロにすることはできません。さまざまな社会・経済・環境の要因によってどうしても事業活動には負の影響はつきものだと言えると思います。したがって、人権デュー・ディリジェンスというものは、人権リスクをなくす、人権リスクをゼロに抑え込むためのものではありません。もちろんないに越したことはありませんが、重要なのは人権侵害が起きた場合にいかに早く探知して早期にその回復に向けて取り組むことができるのかという点だと思います。なので、自社の中でホットラインや内部通報といった仕組みがある企業は多いと思いますが、そういった仕組みをサプライチェーン全体に広げていくということが指導原則でも求められています。さらに

その前提として、そうした仕組みを使ってもらうために、ライツホルダーと言われる権利主体の人たちが自分たちの権利についてきちんと理解・把握・認識していることが必要です。これは旗手さんなどが技能実習生の方と話していても感じられることかもしれませんが、そもそも自分にどのような権利があるのかということを知らない労働者の方がとても多いと感じています。もちろんこれは使用者や企業の側が、労働者にどのような権利があるのか、国際人権基準としてどのような問題に労働者として声を上げることができるのかということを説明し、そうした機会を付与していくこと。つまり、エンパワーメントがないと、グリーバンスの制度があっても結局使われることがありません。そして、それが使われないということは、人権リスクが蔓延し続けるということを意味します。

　ポイントとして今日お伝えしたいのは、このような救済の仕組みを作り、その救済の仕組みを利用するために関わる人それぞれが自分の権利についてきちんと理解し、それを使う機会を提供されることが非常に重要であるということです。特に企業の方への市民社会からの期待ということでお伝えすると、やはり、企業は社会に対する影響力も非常に大きいので、ぜひその影響力を良い方向に行使していただきたいと思っています。

## おわりに

　また、日本の中でも最近「ステークホルダー資本主義」といった言葉も聞かれるようになってきました。今までは「顧客が第一」「お客様が神様」という言葉があるように、どちらかと言うと従業員やサプライヤーに関する権利の尊重がないがしろにされてきたような場面があると思います。改めて、事業に関わるすべての人びとの権利が担保されているか・実現できているか、そうした観点から事業を見直していただければと思います。その前提として、今日は特に奴隷労働・強制労働がテー

マですが、あらゆる人権リスクに目を配る必要があります。部門を横断して人権という視点が一人ひとりにきちんと、すり込まれていく、しみこんでいく、そうした環境が重要だと考えています。環境作りについては私たちをはじめさまざまなNGOが一緒にできることがあるのではないだろうかと思っています。

　また、どうしても制度的な問題や構造的な問題があると思うので、1社だけでは取り組みが難しいという場合は、業界での取り組みや、場合によっては国の政策への働きかけなど、企業の方がたには、ぜひコレクティブで多面的な取り組みをしていただければと思っています。

　SDGsの関係では、バッジを付けている方もたくさんいらっしゃるかと思いますが、このSDGsでは企業に対する期待が述べられています。その前提として、SDGsに取り組むにあたっては指導原則をきちんと守ってくださいということが言われています。

　企業の方がたの中にもSDGsに対して何をしたらよいかわからないというお声もあるかと思いますが、まずは自社の課題、そして事業のサプライチェーン上の人権リスクに取り組んでいただく、そのことが結果的にはSDGsが掲げている各人権課題の改善にもつながります。

　それでは、私の方からビジネスと人権という観点からの現在の状況と企業の方がたへの期待ということでお話をさせていただきました。ありがとうございました。

## 執筆者プロフィール

### 小保方智也

英国キール大学（Keele University）国際人権法教授（2012年から）。
専門分野は現代的形態の奴隷制と国際組織犯罪で、この分野で多数出
版および論文を発表している。キール大学の前はQueen's University
Belfast（北アイルランド）とUniversity of Dundee（スコットランド）
で教鞭を執っていた。2000年は法務補佐として国連難民高等弁務官
在日本事務所で難民保護に従事。2020年5月から国連人権理事会の
任命にもとづき「現代的形態の奴隷制に関する国連特別報告者」を務
めている。

### 旗手明

自由人権協会理事。移住者と連帯する全国ネットワーク運営委員。
1980年代後半より外国人労働者問題に関わり、とりわけ技能実習制度
の問題を中心に、相談・講演・執筆活動、政策提言、関係省庁との意
見交換等を行っている。また、2016年には、参議院法務委員会の技能
実習法案審議において参考人として意見を述べた。近共著に、『開かれ
た移民社会へ』（別冊「環」24号、2019年）、『労働相談事例集改訂3
版』（労働教育センター、2020年）、『アンダーコロナの移民たち』（明
石書店、2021年）などがある。

### 佐藤暁子

弁護士。人権方針、人権デューディリジェンス、ステークホルダー・
エンゲージメントのコーディネート、政策提言などを通じて、ビジ
ネスと人権の普及・浸透に取り組む。
認定NPO法人ヒューマンライツ・ナウ事務局次長・国際人権NGO
ビジネスと人権リソースセンター日本リサーチャー／代表、Social
Connection for Human Rights 共同代表、認定NPO法人国際協力
NGOセンター（JANIC）理事、企業と社会フォーラム理事。一橋
大学法科大学院、International Institute of Social Studies（オラン
ダ・ハーグ）開発学修士（人権専攻）。

IMADR ブックレット　20

# 現代的形態の奴隷制
## ―存続し変化する 21 世紀の人権問題―

2022 年 6 月 1 日　初版第 1 版発行

編集・発行　　　反差別国際運動（IMADR）
　　　　　　　　〒 104-0042　東京都中央区入船 1-7-1
　　　　　　　　松本治一郎記念会館 6 階
　　　　　　　　Tel：03-6280-3101/Fax：03-6280-3102
　　　　　　　　E-mail：imadr@imadr.org
　　　　　　　　Website: http://imadr.net

発売元　　　　　株式会社解放出版社
　　　　　　　　〒 552-0001 大阪市港区波除 4-1-37 HRC ビル 3F
　　　　　　　　Tel：06-6581-8542/Fax：06-6581-8552
　　　　　　　　Website: http://www.kaihou-s.com
　　　　　　　　東京事務所
　　　　　　　　〒 101-0051 東京都文京区本郷 1-28-36 鳳明ビル 102A
　　　　　　　　Tel：03-5213-4771/Fax：03-5213-4777

印刷・製本　　　モリモト印刷株式会社

ISBN978-4-7592-6344-2　C0336
定価は表紙に表示しています。　落丁・乱丁はお取り替えいたします。

反差別国際運動（IMADR）◇出版物一覧

## ◆『現代世界と人権』シリーズ◆

（A5 判／とくに表示のないものは、定価 1,800 〜 2,000 円＋税／在庫があるもののみ表示）

### 7 国際社会における共生と寛容を求めて

マイノリティ研究の第一人者パトリック・ソーンベリーさんの国連「マイノリティ権利宣言」採択後にまとめたレポートを翻訳紹介。あわせて「宗教に基づく不寛容と差別を考える集会」の概要も紹介。 (1995 年)

### 13 世紀の変わり目における差別と人種主義

2001 年の「反人種主義・差別撤廃世界会議」に向けて、世界の差別の実態を明らかにし、グローバリゼーションがマイノリティの人権におよぼす影響とそれに対する闘いについてさぐる。 (1999 年)

### 15 国連から見た日本の人種差別 ——人種差別撤廃委員会審査第1・2回 日本政府報告書審査の全記録とNGOの取り組み

2001 年 3 月にジュネーブで行なわれた人種差別撤廃条約の日本政府報告書初審査の全審議録、政府追加回答文書、人種差別撤廃委員会最終所見、同解説を全収録。審査に向けた政府報告書、NGO レポート、審査事前事後の NGO の取り組みを含め、さまざまな関連情報を掲載。 (2001 年／定価 2,600 円＋税)

### 17 マイノリティ女性の視点を政策に！社会に！ ——女性差別撤廃委員会日本報告書審査を通して

欠落していたマイノリティ女性の視点と政策は、女性差別撤廃委員会日本報告書審査を通して、重要課題となった。審査を活用したマイノリティ女性の取り組み・主張、マイノリティ女性に対する複合差別が国際舞台でどう扱われてきたかなど重要資料 20 点所収。 (2003 年／定価 2,200 円＋税)

### 18 人権侵害救済法・国内人権機関の設置をもとめて

「人権侵害救済法」（仮称）法案要綱・試案および同補強案の背景にある視点や取り組みの経緯、地方自治体の取り組みや国際的な情勢などを紹介。関連文書や国内外の動向を含む資料も豊富に掲載。 (2004 年)

### 19 グローバル化の中の人身売買 ——その撤廃に向けて

「人身売買の被害者の人権」という視点から、問題解決につながる道筋をつけるべく編集された 1 冊。人身売買を生み出す原因や、日本における実態、現在の法的、行政的制度・計画の問題点、人身売買撤廃と被害者の救済・保護についての論考や豊富な資料を掲載。 (2005 年)

# ◆『IMADR ブックレット』シリーズ◆

（とくに表示のないものは A5 判／定価 1,000 円＋税／在庫があるもののみ表示）

への権利」について、そして平和に生きる権利の実現を妨げるものは何かについて考える糸口を提示する。　　　　　　　　　　　　　　　　　　（2011 年／定価 1,200 円＋税）

## 15　企業と人権　インド・日本　平等な機会のために

経済成長と民営化により民間部門が急速に拡大したインドにおけるダリットの経済的権利の確立と包摂に向けた課題と、民間部門における積極的差別是正政策の可能性について、ダリットの活動家と研究者が考察を行なう。　　　（2012 年／定価 1,200 円＋税）

## 16　日本と沖縄　常識をこえて公正な社会を創るために

日本と沖縄。なんでこんなに遠いのか。歴史をひもとき、世界の潮流にふれ「常識」の枠をこえて公正な社会創りへの道を問う。沖縄からの声に対する本土からの応答も試み、国連が沖縄に関して言及している資料も掲載。　　（2016 年／定価 1,000 円＋税）

## 17　サプライチェーンにおける人権への挑戦

ビジネスの世界においてグローバル化が進む中、インドでは労働者の権利が守られないまま女性や子どもが労働力として搾取されています。サプライチェーンにおいてこのような人権侵害が起こることを防ぐ視点は企業だけではなく、消費者である私たちにも求められています。　　　　　　　　　　　　（2017 年／定価 1,000 円＋税）

## 19　AIと差別

未だ解決をみない人種差別の問題にとって、AI とはどのような存在になるのか？それを学ぶための第一歩として作成した。古くて新しい「差別」と「AI」がどうつながるのか、本書がそれを知る手がかりになればうれしい。（2020 年／定価 1,000 円＋税）

## ◆その他の出版物◆

### ナチス体制下におけるスィンティとロマの大量虐殺
#### ——アウシュヴィッツ国立博物館常設展示カタログ・日本語版）

第 2 次世界大戦下におけるナチス・ドイツによる「ホロコースト」は、ユダヤ人だけではなく、スィンティやロマと呼ばれている人びとも、アウシュヴィッツをはじめとした強制収容所で 50 万人以上が虐殺された。ポーランドのアウシュヴィッツ国立博物館常設展示されている「ナチス体制下におけるスィンティとロマの大虐殺」の展示物日本語版カタログとして刊行した書。　　　　　（2010 年／定価 4,000 円＋税）

■お問合せ■　反差別国際運動（IMADR）

〒 104-0042　東京都中央区入船 1-7-1 松本治一郎記念会館 6 階

　　◆会員割引有◆ TEL：03-6280-3101　　FAX：03-6280-3102　　E-mail：imadr@imadr.org

■お申し込み■同上、または（株）解放出版社　TEL：06-6581-8542　　FAX：06-6581-8552

　　　　　　　　東京営業所　TEL：03-5213-4771　　FAX：03-5213-4777

# 反差別国際運動(IMADR)に参加しませんか?

## ❀ IMADR とは

反差別国際運動（IMADR）は、部落解放同盟の呼びかけにより、国内外の被差別団体や個人、国連の専門家などによって、1988 年に設立された国際人権 NGOです。1993 年には、日本に基盤を持つ人権 NGO として初めて国連との協議資格を取得しました。スイスのジュネーブにも事務所を設置し、マイノリティの声を国連に届け、提言活動に力を入れています。

## ❀ IMADR の活動内容

IMADR は、以下の活動テーマへの取り組みを通じて、差別と人種主義、それらとジェンダー差別が交差する複合差別の撤廃をめざしています。

- 部落差別・カースト差別の撤廃
- ヘイトスピーチを含む移住者に対する差別の撤廃
- 先住民族の権利確立
- マイノリティの権利確立
- マイノリティ女性と複合差別の問題
- 国際的な人権保障制度の発展とマイノリティによる活用の促進
- ビジネスと人権

### 草の根レベルで「立ち上がる」

差別をされてきた当事者がみずから立ち上がり、互いにつながることが、差別をなくすための第一歩です。

### 「理解」を深める

差別と人種主義は、被差別マイノリティのみの課題ではなく、社会全体の課題です。

### 「行動」につながる調査・研究

効果的な活動のためには、調査・研究が大切です。

### 情報と経験の「共有」

さまざまな立場・現場にいる人びとが情報と経験を共有することが、変化をもたらす源になります。

### よりよい「仕組み」や「政策」を求めて

差別の被害者を救済し、奪われた権利を取り戻し、差別や人種主義を防ぐためには、政治的意志と適切な法制度が不可欠です。

## ❀ 大切にしている視点

EMPOWERMENT—立ち上がり 被差別の当事者が、差別をなくすためにみずから立ち上がり活動すること。

SOLIDARITY—つながり 被差別の当事者が連携・連帯すること。

ADVOCACY—基準・仕組みづくり 被差別の当事者の声と力によって、差別と人種主義の撤廃のための仕組みが強化され、それらが被差別の当事者によって効果的に活用 されること。

## ❀ IMADR の活動に参加しませんか?

### 活動に参加する

IMADR が発信する情報を入手したり（ニュースレターや出版物の購入、メールマガジンへの登録など）、それを周囲の人びとに紹介したり、さまざまなイベントやキャンペーン、提言活動に参加するなど、いろいろな方法で活動に参加できます。

### 活動を支える

IMADR の活動は、多くの個人・団体の皆さまからの賛助会費と寄付によって支えられています。ご入会頂いた方には、ニュースレター「IMADR 通信」（年4 回発行）や総会の議案書、IMADR 発行の書籍（A会員と団体会員のみ）を お届けします。詳細は、ウェブサイト（www.imadr.net）をご覧頂くか IMADR事務局までお問い合わせください。

| IMADR 年会費 | | 振込先 |
|---|---|---|
| 個人賛助会員A | ¥10,000 | 郵便振替口座 00910-5-99410 |
| 個人賛助会員B | ¥5,000 | 加入者名　反差別国際運動 |
| 団体賛助会員 | ¥30,000 | |

### 活動をつくる

さまざまな活動づくりに関わるボランティアを募集しています。ボランティアの活動内容は、文書・記録・展示物などの作成や、各企画のための翻訳、主催イベントの運営、特定の活動の推進メンバーになるなど、さまざまです。関心のある方は、IMADR 事務局までお問い合わせください。

**IMADR**
反差別国際運動 (IMADR)
The International Movement Against All Forms of Discrimination and Racism
〒 104-0042 東京都中央区入船 1-7-1 松本治一郎記念会館 6 階
Tel: 03-6280-3101　Fax: 03-6280-3102　Email: imadr@imadr.org